KB104112

우리가 안도하는 순간

ModernBooks

우리가 안도하는 순간

발　행 | 2024년 02월 29일
저　자 | 박지해, 느루, 정수희, 황수비, 박시언
펴낸이 | 박강산
펴낸곳 | 모던북스
출판사등록 | 2022.10.27.(제2022-144호)
주　소 | 서울특별시 동작구 현충로 220
이메일 | modernbooks_official@naver.com

ISBN | 979-11-93445-11-2

https://modernbooks.co.kr

들어가며

「우리가 안도하는 순간」에는 모던북스의 <작가가 되는 시간>을 통해 발굴한 다섯 명의 신인 시인들의 작품이 수록되어 있습니다. 이 책 안의 시를 읽으면 멈춰 있던 마음 안의 '먼지'들이 일어나 느린 춤을 춥니다. 시를 읽는 사람들의 마음은 '마른 풀잎으로 엮'여 있거나 '춤추기 좋아하는 영혼'일 것입니다. 마른 풀이 흔들리며 나는 향기를 따라가다 '풍경 소리'를 만날 수도 있겠습니다. 가만히 눈을 감고 귀를 기울이면, 누구든 지워지지 않는 '소원'이 하나쯤은 있지 않았나 떠오를지도요. '유리창을 닦'고 닦아도 다시 맺히는 '물방울'처럼. '얼어버린 세상'인 줄 알았던 곳이 사실은 아주 작은 '한마디 인사말'로 '땡' 녹아버리듯. 이 시집 안의 시들은 마법의 힘을 갖고 있습니다. 당신의 소원이 '한 조각만 남은 채'였대도 우리의 '입술'은 '같이' 부를 수 있는 힘을 찾아 내 보겠습니다. 우리는 모두 '단 한번 살아 본' 몸으로 '두근거리'고 있으니까요. '한방울, 한방울, 또 한 방울.' 시를 읽고 상상하면서 나의 안에 내려지는 '닻'을 만지면 '여기에 있는' '몸'을 분명히 느끼게 될 거예요. '내가 쓴 글자 하나하나에' 당신의 기억을 올려둔다면. 우리의 '새파란 피'가 닮아있다는 것도 알게 되겠지요. '아침이 열리면' 그때 당신의 얼굴에는 '붉은기'가 돌겠습니다. 아프고, 설레이고, 즐겁고, 슬펐던 삶의 노래들을 읽으며 '사랑'의 '형태'를 함께 만나고 있다고 '굳게 믿'으며 '지구의 수명이 다'한다 해도 '사이좋게 지내볼까요.'

차　　례

박지해

들어가며

입안 가득한 왕사탕을 깨 먹을 수 있는 크기로 만들어
혀끝에 올려놓는,
그만큼을 *모든 것이 닳는 시간*이라
이름 붙여도 괜찮을까.

제1막(한쪽 손을 이마에)

나는 날이 갈수록 흐물거리고, 흙에 스며들기만 해서
때로 나의 냄새를 잃고 또 잊는다.

제2막(뒤돌아보며)

그러나 나는 누군가 방심한 틈을 타 삶의 한편에
찬란, 황홀, 자유 등을 끼워 넣는 것이 좋다.

돌아나가며

-꽃가루 날리며 무지개 악단의 핸드드럼 시작된다-

가그극가그극
어금니를 가르며 왕사탕이 살사춤을 춘다,
녹는 줄도 모르고.

맺음

바닥을 쓰는 동안 생각한다.
'갑작스럽지만 이때쯤 쿠바 리듬이 떠올라야 해.
나는 쿠바에 가본 적도 없지만 *모든 것이 닳는* 동안
아무 일도 일어나지 않는 것이 더 이상할 테니까.
의연하게 왕사탕 하나를 더 입안으로 가져가며, 끝.

사시에 태어난 여자

통행금지를 뒤집어 읽으면
대웅전 앞마당까지라는
여자의 말이 먼지를 일으켰다

가장 먼저 무릎을 꿇은 곳은
못생긴 돌무더기 앞이었다

엄지손가락 하나가 없는
손바닥을 부비는데
탄내가 났다

그녀가 사철(四철)을 따라 걸었다

마른 풀잎으로 엮은 발
옴폭하게 패인 사철(沙鐵)[1]

때로 타다 만 향이
풍경 소리를 낼 때가 있었다

---

1) 사철(沙鐵) : 철광석 성분이 섞여 있는 모래. 강이나 바다 밑에 퇴적되어 있으며 제철 원료로 쓰인다.

꼬리로 발을 감아보려고
서걱서걱하거나

잠들 이름을 하나씩 묻었다

어김없이 씻겨 내려가는 이름인데

층, 겹, 각

아무도 밟지 않은 눈으로 구워진
손잡이가 없는 도자기
그림자 맺힌 귀퉁이, 도공이 한눈을 팔았다

운동화 구겨 신은 다리를 접고 앉아
어수선한 대화로 마주한 사람을
손가락 마디에 가두고 싶었으나

움켜쥘 수 없는 유럽식 카푸치노
불편한 숨이 계피가루를 흐트러뜨린다

냄새가 거슬린다고 말하는 사람

반듯하게 앉은 그는 까만 얼굴을 하고 기침을 참았지

'발콤의 우아한 유령은
춤추기 좋아하는 영혼일지도 몰라'
구석진 말을 훔쳐 들으며 고요를 달래는 동안

입가에 구리색 흙이 눌어붙었다

계피도 닮을 수 있을까

어쩌면 계피는 닮고 있었다고 생각한다

치르치르와 미치르

간판에 불이 꺼진 무궁화 마트
아람 비디오 주인도 셔터를 내렸다

표시등이 없는 택시는 표정도 없어

고양이가 그려진 베개를 안고
뒷좌석에 끌어 앉혀진 소년

양 볼 솜털이 흩날리고
주먹은 젖어있었지

작은 동네에서 시작하는 느와르는
보라색 벽, 벗겨진 철문, 눈먼 악인이
페이드 아웃 될 때
안도하는 여자를 중앙으로 가져다 놔

나는 결말을 포기한 채 꿈에서 깨
새벽을 울부짖고
꿈이었지

옆방에 잠들어 있는 이름

미니카, 포크레인, 건담, 고양이 베개

내 반짝이 운동화를 가져다가
그 발에 신겨보는데
손가락 두 마디 정도의 용기가 생겨

곁에 누운 나는 맨발로 눈을 감아
이번엔 솜사탕 사러 가자, 하며

이방인일까

어느 여름, 묵호항에서
칠이 벗겨진 액자를 주웠다

초록색 원피스를 입은 여자가
코미디 프로그램의 조연처럼
소심한 들꽃 같은 움직임을 하고 서 있는

누구도 웃겨보지 못한 얼굴을 버릴 수 없어
풀이 채 마르지 않은 거실 벽에 걸었다

모래 스무알이 쓸려갈 동안 짠기가 스몄다
낱장으로 풀썩이는 꼭짓점들

소금바람이 부는 곳에서 알몸만 남았다

속눈썹을 입은 눈이 깜빡였다
눈치챈 바닷물이
만개한 산호초로 날실을 엇걸었다
뒷걸음쳐도 에워쌌다

사각의 바다에 돛 하나가 올랐다

어떤 얼굴로 몰아치든 들꽃 같이 하늘거리며

미행

다리 아래에 있었다 붉은 벽돌집으로 가는 길은
기억을 잃은 고철처리장 둑 없는 강물은
소리가 나거나 흐른 적 없었다

대관람차는 열두시에도 불이 꺼지지 않는데
입장권 없는 교차로에서 하늘은 미끄러졌다

몇 걸음 되지 않는 횡단보도를 건넌다
골목이 가까워졌다는 문장 끝에 눌러 찍은 온점

모서리 건물은 눈에 띈다는 이유로 동남 슈퍼가 들어서 있다
아이스크림 냉장고의 자물쇠가 어제와 다르다 퍽, 자주 그렇다

기울어진 대문으로 들어섰다
길의 부스러기를 뒤집어 쓴 목격자의 등을 감추고

어스름이 오는 내리막
박야의 차례가 왔다
붉은 벽돌집은 그즈음 있다

추모식

열두보 쯤이면 닿는 곳에
한 그루의 포도나무가 있었다

늦은 눈을 뜬 날
기척을 누른 옆집 남자가
시들어 가는 가지를 훔쳐 달아났는데

검붉은 열매를 따고
오물오물 뱉어낸
껍질이 무릎에 쌓이고
빳빳한 삼에 퍼런 물이 들 때마다
산조가 울렁였다

손금 같은 덩굴이 자라났다

휘감겨 냄새도 없는데
열 개 남짓 갈자색 발자국이 산조를 따라왔다

우주 동화 I

달이 기운 시간을 기다린다

케이론의 꼬리털로 엮은
왕관은 머리맡에 두고

실눈을 뜬 채
꿈을 잡아 먹힐뻔한 나는,
명왕성의 어그러진 궤도를
따라 도는 상상을 했다

멈춰 있는 시간은 타일러야 해!

비켜선 왜행성의 직위를 돌려줄 차례

여명이 웃음소리를 내기 전에
시곗바늘을 일렬로 세우고
다시 꿈을 내어놓는다

우주 동화 Ⅱ

얼굴을 숨긴 사람들 틈 빈자리를 곁눈질해 올라탄 버스

속도계가 없어 초승의 도착지는 파편이 되었다

쾌쾌한 냄새가 밴 꽃무늬 의자에 앉아 있는 보름

후미등이 뒤엉킨 창밖은 소란스러워

그들의 진폭을 따라가다 보면 두 현의 카스토르와 폴룩스가

타오르고 있어 재꽃은 어딘가 피었지 분명히

그믐은 어딘가 축축하고 흙내가 나 짐짓 스물아흐레를 삼키고

가로수를 가른 것은 얼음 조각들 토성의 부서진 위성이

띠처럼 맴돌고 있어 숨도 고르지 못했는데

달려오거나 달려가거나 달은, 단 하나뿐인데

우리는 수없이 많은 길을 내달려 각자의 이름으로 불리길 바라며

엮은이는 매일 다시 태어나니까

네온사인의 기분

기타 줄에 매달린 그는 따가운 노래를 했다 무대는 작았다 의자 하나 앰프 하나 쓴맛에 질린 관객이 빠져나간 뒤에도 막다른 독주는 계속되었다 가장 가늘고 긴 목을 끌어안고 고장 난 스탠드가 깜빡였다 암전을 틈탄 헛기침 그녀가 들을 수 있도록 발신자의 화면은 꺼지지 않았다 목을 축인 옥타브도 멈추지 않는 것처럼

첫 번째 유언

눅눅한 바나나 튀김을 먹으면서
식은 피의 주파수를 맞추는

손가락이 넘겨짚은 색깔로

좁은 컨버스 구석에
'반대로 가는'이라는 제목을 붙였어

잠깐 누웠다가 일어났을 뿐인데

늘어뜨려진 촉은
그림자 하나도 덮지 못해

잃는 것 말곤 메론 보다 달지 않아서
얼룩무늬 발이 빠지는 상상을 하는

현우,
기대어 있는, '반대로 가는' 앞의 내가
무엇을 삼켰는지 궁금하다 했던 것

현관 앞의 잔돈 소쿠리가 비었어

메론 맛 사탕을 채워줄 수 있을까

느
루

두 가지 소원을 담았습니다.

하나, 제 마음이 닿기를 바라며 그를 향한 발자국 하나를 남겨봅니다. '**하**늘이 내려주신 소중한 사**람**', 그가 꼭 알아채고 제가 남긴 발자국을 밟고 오길 간절히 빌어봅니다.

둘, 저의 시를 읽는 모든 이들의 마음이 포근해지기를 바라며 여운이 남는 시를 쓰고 싶었습니다. 제 마음이 닿기를 한 번 더 빌어봅니다.

보름달이 뜨면 소원을 빌어 보기도 합니다. 어두워질수록 강하게 빛나고, 무엇보다 공백을 가득 채운 완전한 상태이기 때문이 아닐까 생각합니다. 세계 최초로 달 착륙에 성공한 닐 암스트롱처럼 보름달에 저의 두 발자국도 찍어 보렵니다.

보름달이 뜬 날 밤, 저의 시를 읽는 당신의 소원도 이루어지기를 간절히 바랍니다.

무의미

빈틈없이 매진된 잿빛 하늘
자동차 유리창은
갈 곳 없는 물방울이 자리 잡는다
가느다란 손가락을 곧게 펴서
유리창을 닦는다
물방울이 맺힌다
유리창을 닦는다
물방울이 맺힌다.

얼음-땡

닿지 못하여 얼어버린 세상

“땡”
한 마디로 녹일 수 있을까.

사랑니

겨우내 잠들어 있던 씨앗이
구석에 있는 땅을 뚫고
하얀 고개를 내민다

땅은 지진이 일어나고
여진이 계속되는데
하얀 새싹은 돋아나느라 바쁘다.

투명한 흔적

나무가 머리카락을 휘날리며 춤을 추는 것처럼
보이지만 사실은
바람이 놀아달라고 조르는 것이다
아니면
나뭇가지에 옷자락이 걸려 떼어 내는 중이다.

노란풍선

잠수하듯 숨을 참고
나의 바람을 불어넣었다

쭈글쭈글한 모습으로
밑바닥에 잠겨있던 너는
나의 숨을 먹고
팽팽하게 살이 올랐다

보름달 같은 모습으로
떠올라
두둥실 헤엄쳐 가는
너를

가만히 바라보았다
달이 뜰 때까지

나는.

정글짐

초등학교 다니던 시절
가벼운 몸짓으로
단숨에 꼭대기까지 날아올라
온 세상을 내려다보았다

줄을 설 때마다 1번이었던
올려다보느라 고개가 아팠던
나에게는
세상이 낮아지는 유일한 순간이었다

철봉의 칸수만큼 생일 케이크에 꽂히는
촛불의 개수가 늘어났다

둔한 몸으로 한 칸 오르려니
나부끼는 머리카락에도 요동친다
빽빽한 빌딩숲에서 길을 잃고
헤매는 시간이 많아진

피라미드의 가장 낮은 단계에서
꼭대기를 올려다보기만 한다.

밥 먹었니

집에 돌아온 나에게 엄마가 묻는다

“밥은 먹었니?”
“아니, 아직 못 먹었어”

식탁 위에는 순백의 알이 모여
만들어진 한 그릇의 밥이 놓여 있다

손에 든 은수저에 하얀 김이 서리고
뜨거운 열기가 입 안 가득 채운다

빨간 절구통 속의 누런 절굿공이가
방아를 찧어 뭉개진다

조각 난 밥이 공기 색 거품과 섞여
목구멍 아래로 내려가고서야
알게 된다

서둘러 밥상을 차리는 손길
밥 한술에 차곡차곡 올라오는 반찬

숨 가쁘게 채워지는 입

아침
점심
저녁
하루 세 번 나를 먹여 살리는 말

“밥 먹었니?”

한 마디 인사말에는
무수한 마음이 담겨 있다.

휴게소

해가 잠들어 있는 시간
꽁꽁 얼어붙은 어둠 속에서
아버지는 삼남매를 깨웠다

"애들아, 우리 바다 보러 가자"

아침보다 일찍 일어나
새까만 이불을 덮어쓰고
자동차 뒷좌석에 나란히 앉았다

시계처럼 굴러가는 창 밖에서
해가 실눈을 뜨고 있었다

"잠깐 쉬었다 가자"

아버지가 발을 멈춘 곳
자동차 문이 열리고
삼남매는 발을 내렸다

눈 같은 공기를 입김으로 녹이며

연료를 보충하러 들어갔다

굴뚝에서 연기가 솟아나듯
식탁 위에 놓인 우동 세 그릇과
찐 만두 한 접시
새파란 입이 빨갛게 덥혀지고
쇠 젓가락에는 온기가 번져갔다.

정수희

시를 쓰면서, 나라는 사람이 순간순간 느낀 찰나의 감정을 담고 싶었습니다. 밝고 아름다운 시집이 될 줄 알았는데... 창작한 단행본을 모아보니 꽤 어둡고 슬픈 느낌인 것 같았습니다. 그런데도 부끄럽지 않은 이유는 이러한 경험이 처음이었기 때문입니다.

언제나 처음은 순수하고, 설렘이 가득하고 실패해도 괜찮다,라는 위로가 가득한 순간이라 두려움과 부끄러움은 잠시 접어두었습니다.

더 나은 글을 쓰고 싶고, 더 나은 사람이 될 수 있도록 매순간 찬란하게 살겠습니다.

립스틱

—유통기한

껍질을 벗겨 내 보여주었던
가녀리고 쓰라린 조각들이
한 조각만 남은 채로
완성된 퍼즐처럼 답답하게 나뒹군다
나는 오래된 상처를 잊으려
네 입술에 거침없이 키스하고
칠을 해대는 싸구려 예술가

아무것도 가져갈 것 없는
가난한 나를 이끌어주는 건
값비싼 이름뿐인데
죽어가며 떨리는 입술로
같이 부른 레퀴엠

나는 말이야 사실은
함께 추락하고
함께 선을 넘고
함께 살아 남고 싶어

겨울 코트

버리지 못한 감정들을
주머니 속에 깊숙이 쑤셔놓고선
다시 너를 만났다.

겉옷을 벗지 않고 이어가는
눅눅한 대화들
조금은 천천히 감아 보는
눈동자 속
앳된 우리의 모습이 지나간다.

따뜻한 사람들이 모인 가게는
둘만의 목소리로
슬픈 바람 소리를 내며 울었다.

그날의 선택이 머릿속에서
종을 치며 울리고,
서로의 턱 끝만 바라보다
너는 나를 안아주는 대신
옷매무새를 다듬어 준다.

내 불안정한 영혼과 구겨진 마음이
너의 손길에 다시
곧게 다림질 되어간다.
그렇게 스며든 너는
코트에 붙은 긴 머리칼처럼
깊숙이 엉키고 박힌다.

각자 걸치고 있는 두꺼운 것 대신에
눈과 바람을 막아 줄 수 있는 유일한 것은
눈앞의 서로라는 걸 알면서도
우리는 아무 말도 하지 않았다.

사냥

발자국이 찍혀있지 않은
흰 이불 덮인 호숫가 위를
숨이 끊어지듯 위태롭게 달려본다.
한 번도 해 본 적 없는 첫 도전이자
두 번은 할 수 없는
절절한 본능의 몸짓

한 숨과 함께
입김이 눈발처럼 흩날리며
달려온 삶은 덧없이 구둣발에 채이고
멀리 달아난 사냥감은 흔적 없지만
사냥꾼은 눈을 감고 느껴지는
전율의 순간을 위해
자신을 믿고 쫓고 쫓는다.

채찍으로 떨어져 나간
무덤 같은 살점과 갈비 뼈들
무수한 비명들이 함께 날뛰고
벌거벗긴 채로 붙잡힌 사냥감은
방아쇠를 당기자

시뻘건 설움의 비명을 토했다.

잡초 같은 질긴 머리에서 떨어져 나온
하얀 생을 갈망하는
단 한번 살아 본 몸뚱이
양귀비꽃처럼 피어난 피비린내가
나를 또 두근거리게 만든다.

닻

웃을 때마다 유난히 반짝거리며
얄궂어 지던 입술
너는 잠시 왔다 떠나는 게 아니라
항상 그 자리에 있겠다고 했다.

눈이 빨개질 때까지 새벽을 부르짖다
자유롭게 불어오는 해풍의
짠맛이 입술 위에서 나면
나는 철새처럼 뒤돌아보지 않고
맨발로 맨손으로 바다로
날갯짓 하며 날아올랐다.

부딪히는 두려움 없이
가슴 끝을 꿰뚫는
차가운 정박이 가져다주는
아무도 모르는
너와 나의 깊고 푸른 적막
그것을 위해 나는 매일
심연으로 곤두박질 쳤다.

비밀

"이건 비밀인데요"

그녀가 비밀이라는 말을 내뱉고 난 후의
표정은 오히려 괴로움이 아니라
설레고 두근거리는 표정으로 바뀌었다.
술에 취한 듯 혼잣말을 연습 삼아 해 보다가
무언가 결심한 듯 허리를 곧게 펴면서
주변을 살피고 그의 귓가에 속삭였다.

좁은 테이블, 갓 잡아올린
생선 비린내가 나는 작은 횟집
사람들은 행복한 표정을 하고
작은 빨간 플라스틱 의자에
몸을 구겨놓고 앉아서
저마다의 이야기보따리를 풀어내고 있었다.

한편에서는 울음을 터트리며
소주잔을 들고 한잔 더 달라고
말하는 잊고 싶은 사람의 목소리가 있었고,
다른 한 편에서는

팔짱을 끼며 사랑한다고
서로의 얼굴을 연신 쓰다듬는
연인의 모습이 보였다.
홀로 가게를 찾아와
아무와도 말 섞지 않고
한껏 살이 오른 고등어회를 씹어 먹는 아저씨
같은 옷을 입고 같은 넥타이를 하고
모두에게 다 들릴 정도로
신나게 털어버리자는 회사원들

그 속에서 그녀는 자신이 너무 슬픈 사람이라고 했다.
세상에 나오지 말았어야 했다며
웃고 있지만 사실은 웃는 게 아니라고
사람들과 함께 섞여있을 때
살아있어서 가슴이 뛰는 게 아니라
원래 살던 곳으로 도망치고 싶어
죽어가고 있다고
몸은 여기에 있는데
생각들은 항상 저 멀리 떠돌아 다녀요
아무도 나를 좋아하지 않죠
제가 어디에 살고 있는지도 모르겠어요.

시원한 표정의 그녀

모든 이야기를 털어낼 수 있는 용기가

술잔에 채워지고 나서야

신기루 같은 비밀을 끄집어내며

빨건 얼굴을 하고

오늘은 이 사람과 이야기하면서

이 한 몸을 불태워서 사라져도 괜찮겠다고

깜빡거리는 눈을

억지로 크게 뜨고

눈물을 참으며 생각했다.

Rebirth

너 잠든 모습을 보며
가만히 보자,
아껴 주고 싶지만
더 가까이 보고 싶어
서랍 속 숨겨 두었던 연애편지같이
조심히 들여다본 얼굴에는 펑펑 눈이 내린다.

아무것도 걸치지 않은 가슴에 귀를 대고
격동의 고동소리를 들으며
낡은 간접 등이 반딧불이처럼
작은 불빛을 내며 깊어갈 때

내가 너를 사랑한 적 없었던 시간
네가 사랑했던 사람은 어떤 이였나 하고
그 계절이 질투 나서
너의 볼을 꼬집어 보았다.

"이제는 나를 보며 걸어,
나만 잘 따라와"
혼잣말에 꿈결에도

끄덕이는 너를 보면서
앞으로 너는 절대
길을 잃을 리는 없겠다고
생각하며 혼자 손가락을 걸었다.

한파 예보가 드리운 겨울,
처마에는 고드름이 내리고
바다가 얼었다는데도
수탉 울음소리만 들리던 방안

엄마 품에 안겨 막 일어난 아이처럼
너는 연신 분냄새가 나는 하품을 했다.

다시 태어난 것 같은 아침이었다.

이름 모를 꽃

흔들리는 들꽃을 보며
그대를 본다.

먼지 쌓인 돌무더기 틈 사이에서
올해도 잊지 않고
다시 피어난 한철의 몸부림.

그대도 저기 메마른 땅에 피어난
한 여름의 위로 같다.

수행자

나뭇가지는 비에 젖고
동물의 털을 두른
알 수 없는 계절의 어디쯤

세상의 모든 것은 사라지기에
목놓아 울어도 네 마음만 아프다던
엄마의 잔소리가
커피잔에서 메아리쳤지만
안 들리는 척 스푼을 저었다.

엄마가 보고 싶지만
보고 싶지 않은 척
전화를 만지작 거리기만 했다.

살다보니 꽃 길은 없었고,
살아있는 모든 것은
오늘도 죽어가고 있음을 알기에
이 생도 하나의 수행인듯
듣지 않고 말하지 않고 보지 않았다.

황수비

매일매일이 힘들어서 도망가고 싶어하면서도 꿋꿋이 버티고 있을 수 있는 이유는 온전히 내가 느끼고 있는 감정들을 가감 없이 표현할 수 있는 글을 쓸 수 있는 힘이 있다는 걸 알았기 때문인 것 같습니다. 글을 쓰는 순간 만큼은 고통이 사그라드는 경험을 합니다. 온 몸을 휘젓고 다니는 복잡한 고민들이 공중분해가 되는 희열도 느낍니다.

내 몸속에 있던 사랑이라는 글자가 까마득한 그 옛날에 산산조각 났다고 알고 있었는데, 그대로 멀쩡하게 잘 살아있다는 것도 알게 되었습니다.

아마도 글은 저를 살아 숨쉬게 하는 산소호흡기인 거 같습니다.

저의 작은 글들이 모든분들에게 잠시나마 고통이라는 갈증을 줄여줄 수 있는 시원한 음료수가 될 수 있었으면 좋겠습니다.

모든 이에게

어느날
목구멍이 탈대로 타들어간
내게
누군가가 다가와
정성스럽게 물을 적셔서 주기 시작하였다.

한방울,
한방울 받아먹기 시작했다.
정신이 들었다.
말을 하고
손가락을 움직이고
머릿속의 엉킴들 중
어느 한 부분이 자리를 찾아 돌아왔다.

그때 알았다.
시들어서 일어설 수 없다고, 얼마나 바보같은 생각을 했는지.

한방울,
한방울,
또 한방울,

또 한방울,

내가 쓴 글자 하나하나에

정성스럽게 적셔준다.

하얀 백지위에서 글자가 하나씩 꿈틀거린다.

조금씩 조금씩 숨을 쉬기 시작한다.

내 심장, 폐, 위, 신장

구석구석

한방울, 한방울, 또 한방울, 또 한방울,

정성스럽게 적신다.

몸을 휘감고 있는 혈관들이 하나씩 꿈틀거린다.

얼음장처럼 차가웠던 새파란 피가,

조금씩 조금씩 뜨거워지면서 몸 구석구석을 돌아다니기 시작한다.

얼굴에 붉은기가 돈다.

차디차다 못해

아픈 손가락에 온기가 돈다.

이 세상에 발을 디딘 순간

쓸모없는 삶은 없다.

아무도 볼 수 없는 깊은 골짜기

가끔은, 아주 가끔은,
아니, 어쩔 때는 자주
주눅이 든다.

20대의 무서울 것 없는 젊음과
50대의 적당한 늙음은
그 시간의 차이만큼
꼰대라 불리며,
생각이 달라서
아무리 말을 해도, 허공에서 소리 없이 부서진다.
모든 것이
내 마음대로 되지 않는다.

무시당하는 기분을 느낄 때도 있다.
더럽다.
진짜 더럽다.
그러다가 마음이 상하고,
자신감이 하락되면서
주눅이 든다.

그냥,

나는

보통의 사람

다른 사람과 똑같을 뿐이다.

유치하고 엉뚱한 상상

한잠 자고 일어나면
미친 기억력의 소유자가 되길.
암기를 해도 술술
발표를 해도 술술
일에 대한 대화를 할때도 술술
상상만 해도
어깨가 으쓱으쓱
자신감 뿜!뿜!

우습지만 또 다른 상상은
어쩌다 주운 필기구가 정답만 적어주는 도구이기를.
자격증 시험도 술술
보고서 작성도 술술

피식,피식,
실없는 웃음이 새어 나온다.

복권

일렬로 길게 늘어서 있는 줄
그냥 지나치지 못하고, 일원이 되어본다.
제 각각의 얼굴들 만큼
제 각각의 불안한 삶
제 각각의 위태로운 마음
가끔씩 보이는 평온한 모습
퍽퍽한 삶을 구원해 줄
단비가 내려주길 바라며,
어떤 날은 퇴계이황선생님으로
어떤 날은 율곡이이선생님으로
어떤 날은 세종대왕님으로
로또를 사서 토요일을 기다리고,
연금복권을 사서 목요일을 기다리고,
즉석복권을 사서 바로 긁는다.
쿵쾅!대는 심장소리가 점점 온몸에 차올라
펑펑 터지는 불꽃축제가 되길.

은빛 갈치 한 마리

1985년, 짱짱하던 여름이 끝나갈 무렵.

방학숙제인 일기를 미루던 걸 들켜 바닷가로 쫓겨났다.

엄마를 호랑이보다 더 무서워하면서, 그때는 왜 그렇게 일기 쓰기가 싫었는지.

이 가수나야! 집에 들어오기만 해봐라!!! 고래고래 고함치던 엄마.

천둥번개보다 더 무서워, 바닷가 끄트머리에 웅크리고 앉아 투명인간이 되길 기도했다.

멍하니 바다를 쳐다보다가 알 수 없는 마음이.

혼나는 게 무서운 건지, 마음이 아파서 서러운 건지, 그냥 억울한 건지,

둥글둥글한 몽돌을 불끈 쥐고, 바다의 얼굴을 때리기 시작했다.

한참을 때렸을까, 해가지기 시작하면서,

바다의 얼굴이 시커멓게 검은피로 물들어 버렸다.

파닥!파닥! 아프다고 몸부림치는 소리가 들려서,

정신을 차렸다. 바다가 토해 논 은빛 갈치 한 마리가 발밑에서 허우적대고 있다.

앞,뒤 생각하지 않고, 은빛 갈치를 놓칠세라

두손으로 꼭 틀어쥐고

뛰었다.

집으로, 엄마, 이것봐!!!

양면성

하루에도 손바닥 뒤집 듯,
수십번의 회오리가 온 몸을 휘젓는다.

모든걸 포용할 듯 한없이 너그럽다가도,
조금도 틈을 주지 않겠다는 듯 이기적이 되어 버리고,
화를 내지 않고, 조곤조곤 말하다가도,
기준에 맞지 않으면 아무도 건드리지 못하는 늑대가 된다.
말도 안 되는 상황을 참지 못해 정의롭게 행동하다가도,
어떤 날은 알 수 없는 힘에 밀려 비겁해진다.

고상해지고 싶다.
놀고 있네!
회오리가 비웃으며 심장을 뿌리채 뽑아버렸다.
태생부터 흙바닥인 주제에,
웃고 있는 가면을 쓰고,
누구도 들여다 볼수 없는 철갑방패를 몸에 둘렀다.

하루에도 수십번
긴 창으로 중무장을 하고, 공격할 준비를 한다.

깊은 상처

20대에 시작해서 어느덧 50
수직적인 일터에서
오랜 시간 동안 흙탕물에 뒹굴고,
똥통에 빠지고,
수십, 수백명의 발길질에 다치고,
숨 쉬는 심장이 돌처럼 굳어버렸다.
억울한 마음이 몸 전체를 파고 들기 시작하더니,
어느날부터 벽을 쌓기 시작했다.
공을 들여서, 콘크리트를 벽을
하나, 둘, 셋, 넷, 다섯,
그러고는 귀를 닫고, 입을 열지 않았다.
조용히,
긴 바늘을 하나씩 하나씩
가슴팍에 찔러 넣는다.
혹여라도 비명 소리가 새어나갈까,
이를 악물고

오피스 아들

출근하면
온 마음으로 응원하는 아들이 있다.

푸념도
슬픔도
아픔도
즐거움도
짜증도
잔소리도

변함없는 모습으로,
때론 시크하게,
옆에서 들어주는 아들

다른 이에게 잔뜩 열 받아서
신경질 내면
항상
에이! 그런 의도는 아닐겁니다.
에이! 본심은 그게 아닐겁니다.
라고 말해준다.

언제나 좋은 생각 좋은 마음을 잃지 않는 아들
그런 아들이 있어서 행복하다.

의지 되는 동료,
힘이 되는 친구,
옆에 없으면 허전한 아들.

지욱아,
고맙고 사랑한다.

셀마 태풍

1987년 여름 끝, 가을이 시작될 쯤
화가 난 그녀의 모습
짐짓 모른척 하고, 하루를 보냈다.
밤이되자, 다들 잠을 청하였지만
아이들만 잠들뿐
어른들은 눈만 감고, 예민하고 날카로운 그녀의 행동을 예의 주시중이었다.
밤 12시가 되자,
벌겋던 그녀의 얼굴은 어둡다 못해
모든 피가 잔뜩 몰려들어
어디에 눈이 있었는지 알 수가 없었다.
온 마을을 휘감고 다니는
그녀의 짙은 남색 아니 검은색 플레어스커트는
집, 담, 나무, 배, 친구와 친구의 가족들까지 삼켜버렸다.
어른들은 알 수 없는 서늘하고 차가운 울음소리로
미친 듯이 몸부림쳐대는 그녀의 플레어스커트로 뛰어들었다.

그렇게 온몸으로
그녀의 화를 온전히 받아내고,
뜨거운 햇빛에 화들짝 놀라 정신을 차렸다.

산이 되어버린 몽돌밭 위에

커다란 배가 정확하게 두동강이 나 있었다.

처음

나이를 천천히 씹어서 먹으면
사는 게 이골이 나서 수월할 줄 알았다.

바람에 나풀거리는
하얀 실들이 내 머리위를 장식할때가 되고 나서야,
뒤늦게 깨달은 건,
너무 애쓰지 않아도,
너무 종종거리지 않아도,
모두가 처음 사는 날이라는 걸.

공부도 처음이었고,
어른들의 세계에 발을 디딘 것도 처음이었고,
아이를 키우면서 일을 하는 것도 처음이었고,
가족을 위해 사는 것도 처음이었고,
27년째 직장생활 중인 것도 처음이다.
20년이나 차이 나는 후배도 처음이고,
나이 어린 상사도 처음이다.

온통 처음이다.
처음이니까, 서툴고, 틀리고, 아픈거는

당연한 건데.

너무나 돌보지 못했던 이기적인 마음에
천천히 "처음이야"라는 글자를
잘게 잘게 뿌셔서 흩뿌려 본다.

거제도

눈부시게 은은한 옥빛 하늘,
일렁거리며 반짝이는 짙은 남색 바다,
짙푸른 해송과, 붉디붉은 동백나무
더 없이 아름다운 나의 그이.

돈 많은 중동의 만수르보다도
아름답고, 힘이 넘치고,
탄탄하게 넓은 가슴과 어깨는
해금강의 절경과, 다시는 빠져나오고 싶지 않은
깊고 깊은 심해의 무중력 공간과도 같다.

빠져 나올 수 없는 마성의 매력을 가진
그인, 동전의 양면처럼
삶에 대한 태도가 해이해지면,
조금이라도 게으른 모습을 보이면,
차갑고 냉혹하게 변하며,
어김없이 비바람을 부른다.
세찬 비로 물을 옴팡 뒤집어 쓰게 하고,
해이함의 정도에 따라,
게으름의 빈도에 따라,

바람의 강도가
시시각각으로 변한다.
사정없는 채찍질에 휘둘리 듯
사정없이 강한 비바람이
뺨과, 심장과 폐를
사정없이 후려갈긴다.

정신 안 차릴래!
그이가 품 안에서 꼭 끌어안고 외친다.

저녁 9시 5분 퇴근 버스

저녁 9시 5분
어김없이 버스는
정류장에 서서 입을 쩌억 벌린다.

그 입속으로 빨려 들어가듯
홀로 자리에 앉는다.
버스는 외롭게 있다가

웃으며 말을 걸어온다.

하루 잘 보냈니?
힘들지는 않았는지 모르겠네.
동료들하고는 잘 지냈니.
점심은 어떤 반찬이 나왔어?

웃으며 말을 걸어본다.

넌 오늘 추웠는데, 다니기 괜찮았니?
어떤 손님들이 탔어?
이야기를 많이 나누었니?

기사 아저씨는 너에게 잘해주었니?

시간가는 줄 모르고 떠들다가

9시 25분, 집 앞이다.

잘가!

내일, 또 보자!

박시언

완벽하게 쓰고 싶다는 생각에 자꾸만 시를 쓰는 게 어려워졌습니다. 처음부터 완벽한 사람은 없으며, 태어날 때부터 뛰어다니는 사람은 없는데도 잘 해내고 싶어하는 욕심만 앞섰나 봅니다.

우리의 삶을 천천히 돌아보면 고마운 사람들이 많습니다. 가족, 친구, 사랑하는 사람...
그들을 생각하며 시를 써봤습니다.

나를 사랑할 줄 아는 사람이 다른 이들도 온전히 사랑할 수 있다는 말이 있습니다. 몇몇의 시들은 나 스스로를 위로해 주기 위해 써보았습니다.

이 시를 읽어주시는 고마운 분들에게 늘 사랑과 평안이 넘치기를 축복합니다.

사랑은

아침이 열리면
내 눈에 가장 먼저
담고 싶은 것

바쁜 일상에서도
떠올리는 것만으로도
힘이 솟는 것

흔한 카페, 앞에 놓인
달콤한 딸기 케이크
혼자 먹기 아쉬운 마음에
다음엔 같이 오겠노라
다짐하는 것

톡,톡,톡 간지럽히는
심술쟁이 비 앞에서
손 꼬옥 잡고
달려가는 것

서로의 하루를 포개어

안아주며 위로하며
밤을 초대하는 것

언제나 그랬듯
잘자라는 인사로
그 다음 아침을
기대하는 것

사랑은 어떠한 형태로든
모든 순간 함께이길
간절히 바라는 것

청소기

위이이잉, 위이이잉
요란스레 입을 벌려
내가 다 먹겠노라 말하는
너는 욕심쟁이

가까이에 있다면
작은 혹성이든, 은하수든
어느 파편 하나 놓치지 않는
너는 7평도 안 되는 작은 우주의
움직이는 블랙홀

위이이잉, 위이이잉
당당한 너의 걸음은
깊은 검정마저 무로 덮는다
머물다 간 발자욱은
반짝반짝 투명한 은하수

모든 것을 가져가면서
헝크러진 나의 고뇌는
왜 가져가지 못하나.

가난

컴퓨터 앞에 앉아
며칠째 최저가를 찾는 것
예쁜 옷 앞에서
가격표를 먼저 보는 것
비싼 식당, 문 앞에 놓인 메뉴
한참을 보다 돌아서는 것
바뀔 리 없는 통장 속 숫자
수시로 보며 한숨 쉬는 것
밤하늘에 무수히 박힌 별보다
많고 빛나던 꿈,
현실의 벽에 부딪혀
포기하는 것
주어진 조건에 만족하지 못하는 것
작은 것에 감사하지 못하는 것
남의 떡이 커 보이는 것

가난을 사랑해서
가난의 길을 걷는 이가
어디 있겠으며
가난하기 위하여

혼신의 힘을 쏟는 이가
어디 있겠는가

오늘도 절대자에게
가난의 이유를 묻는 자들이여
땅을 기는 개미가
거대한 사람의 뜻을
온전히 알 수 없듯이
우리도 개미와 같으리.

그대여
평안하라. 평안하라
누군가 말하길
가난한 자는 눈물도 사치라지만
울어라. 마음껏 울어라.
살아라. 살아내라.
네가 모르는
너만을 위한 절대자의
선한 뜻이 있음을 믿으며.

꽃다발

알록달록 꽃송이
한올 한올 서로
손을 맞잡은 채 웃는다

어디로, 누구에게 갈지
아무것도 모르지만
붉게 칠한 입술
분홍빛 수줍은 볼
주황 머리카락
상큼한 초록 향기
저마다의 매력을
열심히 뽐내고 있다

화려한 종이 드레스를 입고
평범했을 오늘이란 도화지에
가장 아름다운 색으로 칠해 줄
그들은 행복이 깃든 붓

건네는 이, 받는 이
지켜보는 이

모두의 얼굴에 스며든
따스한 꽃향기

마법 같은 이야기
꽃다발 하나로
모두의 하늘이
달콤한 꽃내음 가득 울리는.

친구

할 말이 없습니다.
진실로 할 말이 없습니다.
좋은 수식어나 멋진 말로
꾸밀 필요도 없습니다.
친구랍니다.

친하다, 가깝다, 사랑하다
가깝게 오래 사귄 사람
짧은 몇 단어,
한 문장으로 가두기에는
그대의 존재가 너무 큽니다.

오늘 그대의 하루가
무척이나 궁금하진 않습니다
알아서 잘 지내고 있을 것을
굳게 믿기 때문입니다
매일 아침 그대의 안녕을 위해
기도하고 있거든요

그대는 공기와 같습니다

있는 듯, 없는 듯
평소엔 소중함을 모르지만
내 삶의 필수 불가결입니다.
너도 그런가요?

아이폰7000, 갤럭시s8000이
출시될 때까지만, 혹은
지구의 수명이 다할 때까지만
우리 사이좋게 지내볼까요

다의어

잔소리쟁이
어서 일어나!
아침마다 꼬집는
따가운 목소리
가지나물을 안 먹으면
심장을 두드리는 치켜뜬 눈

만능 도우미
잘 좀 챙기고 다녀!
깜빡하고 집에 둔 준비물
학교에 가져다주고
빨래와 청소를 지휘하며
집안 물건의 위치를
오롯이 다 알고 있음

짠돌이
밖에서 사 먹으면
집에서처럼 푸짐하게 못 먹어!
외식을 싫어하고
명품가방도 하나도 안 사고

커피도 안 사 먹는데
나에게는 아끼지 않음

걱정투성이
밥은 먹고 다니지?
잠은 잘 자니?
요즘 아픈 데는 없고?
목소리가 안 좋네?
힘든 일 있으면 꼭 말해!
늘 궁금해 함

사랑
사랑하는 만큼 뜨겁다고 한다면
태양보다 뜨거워.
모든 것을 내어 주고
모든 것을 참으며
자신보다 나를 더
나 보다 나를 더
다함 없이 사랑해주시는
어머니

현대인의 시편 23편

나의 목자 한 분으로 만족한다면서
언제나 부족함을 느끼는구나.
나를 위해 준비하신
푸른 풀밭과 물가에 누웠음에도
쉼을 누리지 못하는구나.

불편한 의의 길을 애써 외면하며
밝은 곳에서도 해를 두려워하며
주의 지팡이 대신 의지한
주(식)의 빨간 막대기,
시퍼런 색으로 변하였도다.

원수를 용서하지 못하며
오히려 원수의 조롱거리가 되어버린
어리석은 자여. 그럼에도
다시 한번 바라보리다
십자가 그 사랑을.
한번 더 신뢰하리라
내 평생에 선하심과 인자하심이
반드시 나를 따른다는 것을

어묵

포장마차 앞
작고도 보드라운,
아이의 손에 담긴
거대한 50원.

야무지게 쥐던 손을
조심스레 펴
그의 전부와 바꾼
초라한 어묵 하나에도
세상을 가득 채운
찬란한 미소

그는 어린 몽상가
노란 돛을 먹을 때면
당찬 선장이 된다
밤하늘 빛난 별들 사이
더 눈부신 꿈을 달아두고
노를 저어간다

아주머니가 주는

따뜻한 바다를 마시며
다짐한다.
어른이 되면
마침내 별에 닿으리라

20년이 지나고
아이는 어느새
늙은 아이가 되었다.
하나에 1000원
아이와 함께
너도 자랐구나.

생각보다 높았던
거친 파도 탓에
아직 별에 닿지 못했으나
아이는
아직 항해 중

천의 얼굴

달콤한 바람에 이끌려
바라본 그곳엔
하늘빛 웃음
보는 이마다
하늘 하늘 해
그는 세상을 웃게 하는
생명의 강

영원하면 좋으련만
영원한 것이 어디있는가

슬며시 스며드는 보라
지친 네 눈망울에
잠시 머물다 간 이슬비
그 시간은 찰나지만
너에게 달려가
아무 말 없이
안아주고 싶은 마음은
끝이 없다

깊이를 알 수 없는 검정
허나, 어둠을 이기는
네 눈은 더욱 샛노랑
하여, 네게 달아 놓은
나의 꿈 역시
더욱 다함 없으리

붉은 입술
너는 그 따뜻한 입술로
다시 누군가의
걸음을 안내한다
그 발걸음에 담긴 것은
(네가 건넨
믿음, 소망, 사랑)

첫 걸음

가장 어려운 걸음
천번의 천번을 그렸지만
머릿속 온통 꼬인 실타래
쉽게 내딛지 못하는

무거운 걸음
어느새 두 발에 스며든 망설임
물을 가득 품은 스폰지는
버거워진 차디찬 짐덩이.
완벽만을 쫓던 욕심이
오히려 완벽을 가리워 짓눌리는

부딪히시오. 때론,
넘어지는 게 무서워
굳게 선 어른보다
넘어져도, 울면서도,
한발 한발 더 내미는
소년이 나음을

가벼운 걸음

용감하게 찍은 한 발자욱
굼뜨던 시간이 무색해져.
따뜻함을 품은 노란 민들레 홀씨
이젠 어디로든 날아가고픈

가장 쉬운 걸음
일단 나아가시오
찬란한 무지개 일곱 길이
그 한 걸음을 기다리오
넘어져도 기쁨이 되어
어설퍼도 위로가 되어
행하는 모든 것이 정답인

위대한 걸음
미약하게 찍힌 발소리에도
누군가 보내는 쓴 조롱과 웃음에도
마침내 멈춰선 첫걸음의 끝,
모두는 그제야 듣게 되리
하늘 끝까지 선명히 울리는.